TIBURONES

CONOCE DE CERCA LOS DEPREDADORES MARINOS MÁS TEMIDOS

ParRagon

Bath • New York • Cologne • Melbourne • Delhi
Hong Kong • Shenzhen • Singapore • Amsterdam

This edition published by Parragon Books Ltd in
2015 and distributed by

Parragon Inc.
440 Park Avenue South, 13th Floor
New York, NY 10016
www.parragon.com

Copyright de esta edición © Parragon Books
Ltd 2015

© Edición original Editorial SOL 90 S.L.

Producción: Jollands Editions
Diseño de la cubierta: JC Lanaway

Producción: Jollands Editions
Delivering iBooks & Design
Redacción y maquetación: Delivering
iBooks & Design, Barcelona

Traducción: Carme Franch para
Delivering iBooks & Design

ISBN 978-1-4748-1681-6

Impreso en China/Printed in China

Basado en una idea de Editorial SOL 90

ÍNDICE

INTRODUCCIÓN

Hay tiburones en todo el mundo. Unos son carnívoros feroces que hacen trizas a sus presas y otros se alimentan solo de plancton, plantas y animales diminutos que van a la deriva arrastrados por las corrientes marinas.

Nuestro planeta se formó hace unos 4500 millones de años y los primeros seres vivos surgieron unos 1200 millones de años después. La vida en los océanos fue evolucionando lentamente hasta que, hace unos 400 millones de años, aparecieron los tiburones. Desde entonces, los tiburones han evolucionado en 470 especies distintas. Los zoólogos los agrupan en familias, y clasifican las familias en grupos más grandes llamados «órdenes» en función de la relación que guardan entre ellos.

Los tiburones que llevan más tiempo viviendo en nuestros océanos son las cañábotas (de seis y siete branquias), que surgieron hace 190 millones de años. Estas especies primitivas viven en las profundidades oceánicas. La especie más reciente es el tiburón martillo, que surgió hace 50 millones de años. Los tiburones son unos de los animales que llevan más tiempo viviendo en la Tierra.

En 1569 se utilizó por primera vez el término shark («tiburón» en inglés) para anunciar un espécimen que se exponía en Londres. Lo había capturado la tripulación de una expedición a Sudamérica capitaneada por el célebre marinero isabelino John Hawkins. Se desconoce por qué lo llamaron así y no de otro modo.

Los tiburones viven en distintos hábitats marinos de todo el mundo. Muchos prefieren las aguas templadas tropicales, pero otros se han adaptado a los mares más fríos cercanos al Polo Norte y el Polo Sur. Algunas especies tienen su hábitat en las aguas someras próximas a la costa y otras prefieren mar abierto, mientras que otros tiburones viven incluso en aguas profundas donde no llega la luz.

TIPOS DE TIBURONES

Hay tiburones diminutos y tiburones gigantescos. Tiburones pacíficos y tiburones feroces. Unos nadan muy deprisa para atrapar a sus presas en mar abierto. Otros nadan muy despacio y se alimentan de animales que viven en el lecho marino.

Morro
El morro suele ser puntiagudo. La boca tiene forma de media luna.

Branquias
Las branquias sirven para respirar.

Aleta
Las aletas se mantienen rígidas con varillas de cartílago.

¡ASOMBROSO!
Los tiburones no tienen vejiga natatoria. Su hígado lleno de aceite les permite flotar, pero muchos tienen que nadar sin parar para no hundirse.

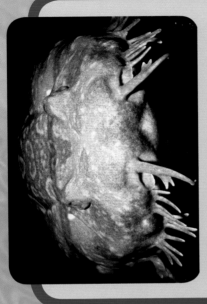

Los orectolóbidos se ocultan en el lecho marino. Saben camuflarse muy bien.

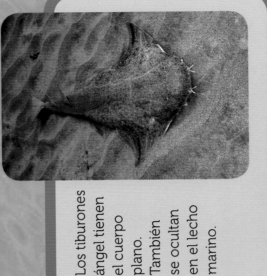

Los tiburones ángel tienen el cuerpo plano. También se ocultan en el lecho marino.

Los tiburones peregrinos viven en aguas abiertas. Suelen verse nadando muy cerca de la costa.

Los escuálidos tienen el cuerpo largo y delgado para deslizarse por el agua.

Aleta caudal
La aleta caudal puntiaguda es muy fuerte y permite avanzar al tiburón por el agua.

CURIOSIDADES

¿Te imaginas un pez con la cabeza en forma de martillo? ¿O zampándose un león marino de un solo bocado? Los tiburones son unos de los animales más sorprendentes del mundo.

Tiburón ballena

El pacífico tiburón ballena es el pez más grande del mundo. Pesa como dos elefantes juntos y algunos ejemplares son más largos que un autobús.

Gran tiburón blanco

El gran tiburón blanco devora a otros tiburones, además de tragarse de un solo bocado pingüinos pequeños, focas y leones marinos.

Tiburón mako

El tiburón mako, en forma de bala, nada a más de 69 km/h (43 millas /h). Es uno de los peces más rápidos.

Tiburón martillo

El tiburón martillo tiene los ojos a los lados de su peculiar cabeza. Girando la cabeza a un lado y otro obtiene una vista panorámica de lo que la rodea.

¡ASOMBROSO!

Los tiburones no tienen huesos. Su esqueleto está hecho de cartílago, un material ligero y elástico como el de las orejas y la nariz humanas.

Los tiburones martillo tienen las aletas pectorales más pequeñas que otras especies.

GRANDES NADADORES

Los tiburones son magníficos y elegantes nadadores. Sus cuerpos lisos son perfectos para moverse bajo el agua. Nadan en movimientos en forma de «S» ayudándose de la cola.

Cola

Podría decirse que la cola es el motor del tiburón. Los largos coletazos laterales impulsan el cuerpo hacia delante. La forma aerodinámica del cuerpo le ayuda a deslizarse por el agua. Los tiburones con grandes colas alcanzan grandes velocidades en poco tiempo.

Aletas

La aleta dorsal del lomo del tiburón es como la quilla de un barco, que evita que el tiburón se dé la vuelta en el agua. Las aletas pectorales de los lados le ayudan a nadar arriba y abajo por el agua, como si fueran las alas de un avión.

¡ASOMBROSO!

Los tiburones no pueden nadar hacia atrás. Esto es porque las aletas pectorales son rígidas y no se doblan como las de otros peces, por eso no se echan hacia atrás.

Aleta dorsal

La aleta rígida del lomo del tiburón le permite mantener el equilibrio.

Aletas pectorales

Las aletas a ambos lados del cuerpo le ayudan a pilotar.

Tipos de cola

La aleta de la cola, o caudal, de los tiburones adopta formas y tamaños distintos. Suele ser más grande por arriba que por abajo, ya que la espina dorsal se extiende a lo largo de la mitad superior de la aleta.

Tiburón nodriza

Pez zorro

Tollo cigarro

Tiburón tigre

Cailón

Gran tiburón blanco

Cola

La larga cola del tiburón se mueve de lado a lado, impulsándolo hacia delante por el agua.

Movimientos lentos

El tiburón ballena nada muy despacio, a unos 5 km/h (3 millas/h). Para ello mueve todo el cuerpo a un lado y otro, no solo la cola.

SENTIDOS Y CAZA

Los tiburones siempre están atentos a su próximo banquete. Tienen vista, oído, tacto y olfato, pero sus sentidos son mucho más poderosos que los nuestros y están muy adaptados al agua.

De caza

El tiburón utiliza todos sus sentidos para encontrar presas, pero se deja guiar sobre todo por el olfato. Puede oler una pequeña cantidad de sangre en el agua a centenares de metros.

Tacto

Los tiburones detectan los movimientos en el agua a través de una línea lateral que tienen en los flancos.

Tacto

Oído

El oído de los tiburones detecta sonidos a través del agua. Las orejas están bajo unos pequeños orificios de la cabeza.

Sentido ultrasensible

Los tiburones tienen receptores llenos de gelatina en la cabeza. Estos órganos detectan las débiles señales eléctricas que emiten los otros peces. Los tiburones martillo tienen este sentido muy desarrollado.

Vista

Olfato

Oído

Olfato

Los tiburones no respiran por la nariz, sino que solo la utilizan para detectar olores.

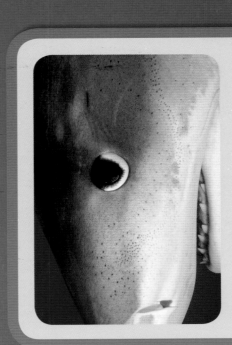

Vista

Los ojos de los tiburones pueden ver con la tenue luz submarina.

DIENTES

Los dientes son el arma principal de los tiburones. Están diseñados para capturar y comerse a sus presas.

Los tiburones tienen varias hileras de dientes. Cada vez que pierden un diente, el de la hilera de detrás avanza para ocupar su lugar.

La forma de los dientes depende del tipo de dieta. Los tiburones que comen peces tienen los dientes largos y estrechos para atrapar a los peces resbaladizos. Los que se alimentan de mamíferos, como focas, los tienen largos y serrados para desgarrar la carne. Los tiburones que comen moluscos tienen los dientes gruesos y redondeados para triturar las valvas de sus presas.

Los tiburones no tienen los dientes arraigados a la mandíbula como los humanos, sino clavados a la piel que cubre la mandíbula.

Al contrario que muchos animales, su mandíbula superior no está sujeta al cráneo sino que es articulada, por eso pueden moverla con toda libertad y abrirla bien para morder a sus presas.

Los dientes del gran tiburón blanco son afilados y puntiagudos, perfectos para desgarrar carne.

¡ASOMBROSO!

El gran tiburón blanco tiene unos 300 dientes dispuestos en siete hileras, pero en toda su vida pueden llegarle a crecer miles de ellos, ya que repone los que va perdiendo.

El megalodonte, un tiburón prehistórico, podía llegar a medir 20 m (65 pies) de largo. En la imagen, uno de sus enormes dientes junto al diente de un tiburón actual (derecha).

El pequeño tollo cigarro se acerca nadando a peces más grandes que él, les da un mordisco redondo como una galleta en el flanco y se aleja muy deprisa.

La poderosa cola del gran tiburón blanco le impulsa por el agua para atacar a sus presas.

MADRES Y CRÍAS

Las crías de tiburón nacen de huevos que generalmente crecen en el vientre de su madre. Sin embargo, algunas especies ponen los huevos en el lecho marino, donde quedan protegidos por una cápsula dura.

Todos los tiburones nacen de huevos que son fertilizados por los espermatozoides del tiburón macho. Aun así, los huevos se desarrollan de distintas maneras. En algunas especies permanecen dentro del cuerpo de la madre y eclosionan en su interior. A continuación, las crías de tiburón nacen como peces vivos, listos para nadar.

Otros tiburones ponen huevos protegidos por cápsulas duras y correosas en el agua. La cría crece dentro de la cáscara, alimentándose de la yema. Cuando va a nacer, se retuerce dentro de la cápsula, que se abre.

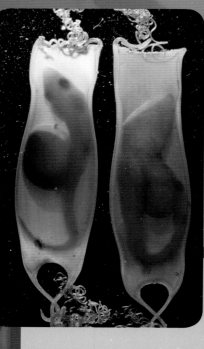

Cápsulas de huevos

Los huevos de los escualos están protegidos por una cápsula conocida con el nombre de «bolso de sirena». Las crías crecen dentro, alimentándose de la yema.

Crías de tiburón martillo

Las crías de tiburón martillo nacen con la cabeza hacia atrás para poder salir más fácilmente del vientre de la madre.

¡ASOMBROSO!

Una tintorera puede dar a luz a 50 o más crías a la vez; el récord son 135 crías. Tardan entre 9 y 12 meses en crecer lo bastante para nacer.

Tiburones en grupo

Los tiburones no viven en núcleos familiares. La presencia de un grupo grande de estos animales suele indicar la presencia de comida abundante.

Tiburones limón

Los huevos de tiburón limón crecen en el vientre de la madre. Da a luz a dos crías diminutas, que no tardan en ponerse a nadar en busca de comida. Hasta que alcanzan el tamaño de un adulto, unos 2 m (7 pies) de largo, permanecen en aguas más bien someras. Esto puede llevar entre 12 y 15 años.

GUARDERÍAS COSTERAS

Muchos animales visitan las aguas costeras para criar o tener a sus pequeños. Estas aguas suelen estar resguardadas y tener comida abundante para las crías.

Reunión de tiburones martillo

Cada año, los tiburones martillo se reúnen en lugares de cría especiales. Cada macho elige a una hembra y ambos se aparean. Al cabo de diez meses, la hembra nada hasta la costa para dar a luz a sus crías.

Los tiburones martillo se reúnen para reproducirse.

¡ASOMBROSO!

Las hembras de tiburón limón regresan al mismo lugar cada dos años para dar a luz, pero los machos van a otros lugares, garantizando la diversidad genética de la especie.

Migración de ballenas

Muchas ballenas realizan viajes periódicos a la costa. La ballena jorobada pasa el verano en aguas frías, donde abunda la comida, y luego migra a aguas más cálidas, donde da a luz a sus crías. El gran tiburón blanco y el tiburón tigre son depredadores de estas crías.

Volador submarino

La mantarraya vive en las profundidades, pero da a luz en aguas costeras someras, donde las crías permanecen varios años. Transcurrido alrededor de un año desde la concepción, las hembras dan a luz a una o dos crías.

CADENA TRÓFICA

Una cadena trófica describe la transferencia de nutrientes de las plantas a los animales. En el océano, el plancton vegetal es el alimento del plancton animal, o zooplancton. El zooplancton alimenta a animales más grandes, que a su vez sirven de alimento a animales más grandes todavía. Muchos tiburones comen focas, tortugas, peces e incluso aves marinas de gran tamaño. En cambio otros, como el tiburón ballena y el tiburón peregrino, comen plancton y peces pequeños.

Plancton vegetal

Es la base de la cadena trófica marina. Se denomina productor porque fabrica su propio alimento a través de la luz del sol

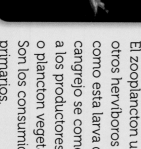

Hervíboros

El zooplancton u otros herviboros como esta larva de cangrejo se comen a los productores, o plancton vegetal. Son los consumidores primarios.

Carnívoros

Los animales más grandes, o consumidores secundarios, se comen a los consumidores primarios. Los animales que pertenecen a este grupo son cazadores, como los peces y los calamares.

Carnívoros superiores

Los carnívoros superiores, como pelícanos, tiburones y delfines, comen peces. Ningún otro animal se los come, por tanto ocupan el primer lugar en la cadena trófica marina.

¡ASOMBROSO!

El gran tiburón blanco ataca desde abajo. Se sitúa a cierta distancia bajo la presa y se abalanza por sorpresa sobre ella.

El tono más oscuro del lomo de este tiburón se confunde con el agua, por eso puede atacar a sus presas desde abajo.

Este gran tiburón blanco ha saltado fuera del agua para atrapar a una foca.

COMEDORES DE PLANCTON

El plancton animal y vegetal es el alimento favorito de muchos animales, incluidos gigantes oceánicos como el tiburón ballena y el tiburón peregrino. Muchos comedores de plancton filtran organismos diminutos del agua.

Tiburón peregrino

El tiburón peregrino nada con la boca abierta. Cuando se le llena de agua, la cierra y expulsa el líquido a través de las branquias. La comida queda atrapada en las branquiespinas (filtros en forma de púas) de las agallas.

Mantarraya

Muchas rayas viven en el lecho marino, donde cazan peces y pequeños animales. En cambio, la enorme mantarraya es activa, recorre grandes distancias y filtra plancton con las agallas.

Las ballenas jorobadas tienen placas en forma de peines en la boca que les permite filtrar el agua.

Las manchas del tiburón ballena son únicas y permiten identificar a los distintos individuos, como las huellas dactilares humanas.

Tiburón ballena

El tiburón ballena es el pez más grande del mundo. Puede llegar a medir 12 m (40 pies) de largo y pesar más de 21 000 kg (23 toneladas). Es un filtrador y, a pesar de su tamaño, no es un tiburón peligroso para los humanos.

¡ASOMBROSO!

Los científicos creen que algunos tiburones ballena podrían vivir 180 años. Los machos no se reproducen hasta que tienen 30 años.

TIBURÓN PEREGRINO

Este tiburón de aspecto tan curioso es el segundo pez más grande (después del tiburón ballena) del océano. De entrada puede que dé miedo, pero es un animal muy pacífico. Se alimenta solo de plancton mientras nada lentamente cerca de la superficie.

El cuerpo del tiburón peregrino es de color marrón grisáceo a gris oscuro, a veces con motas más claras en los flancos. La cabeza es bastante puntiaguda, pero en cuanto empieza a comer su apariencia cambia por completo. Abre las enormes mandíbulas de par en par para que el agua pase a través de las branquiespinas del interior de la garganta. Estas atrapan las partículas diminutas de plancton de las que se alimenta. Es lo que se denomina «alimentación por filtración». Las branquiespinas del tiburón peregrino filtran casi 1,5 millones de litros de agua cada hora.

El tiburón peregrino se alimenta cerca de la superficie, donde se concentran los diminutos organismos del plancton atraídos por la luz del sol. Los pescadores suelen verlos relativamente cerca de la costa. En invierno migran miles de kilómetros hacia aguas más cálidas en busca de plancton.

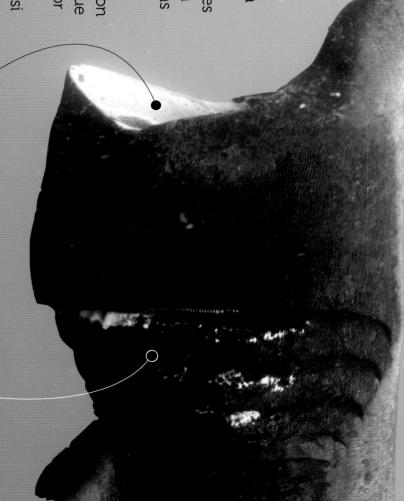

Boca
Su enorme boca, que es como un cazamariposas gigante, barre los diminutos organismos de plancton del agua.

Grandes branquias
Los filamentos que tienen detrás de las agallas, llamados «branquiespinas», atrapan las partículas de comida del agua.

Ficha

Longitud: Macho: hasta 9 m (30 pies); hembra: hasta 10 m (33 pies)

Peso: Hasta 3600 kg (8000 libras)

Orden: Tiburones caballa

Familia: Tiburón peregrino

Dieta: Fitoplancton, zooplancton, peces muy pequeños, huevos de pescado

¡ASOMBROSO!

Todo indica que el tiburón peregrino tarda entre 12 y 20 años en alcanzar la madurez, y tiene una esperanza de vida de unos 50 años.

Localización

El tiburón peregrino vive en las aguas templadas (10-18 °C/ 50-64 °F) y subpolares (10 °C/50 °F negativos) de los océanos Atlántico Norte, Atlántico Sur y Pacífico. Nada desde la superficie hasta 570 m (1870 pies) de profundidad.

Costa | Océano

Zona de luz: 0-200 m (0-650 pies)

Zona de penumbra: 200-1000 m (650-3300 pies)

Zona de medianoche: 1000-4000 m (3300-13 000 pies)

Zona del abismo: 4000-6000 m (13 000-20 000 pies)

TIBURÓN LEOPARDO

El tiburón leopardo es uno de los tiburones más comunes de las costas de California. Vive en aguas poco profundas de bahías y estuarios, y de vez en cuando hace incursiones en los bosques de kelp, donde permanece cerca del fondo.

Este bonito tiburón moteado tiene la piel de color bronce plateado con manchas ovaladas más oscuras, de ahí su nombre. Cuanto mayor es el tiburón leopardo, más pálidas son las manchas.

En bahías y estuarios es habitual ver grandes bancos de estos animales. Nadan en llanos arenosos o lodosos, o en zonas con rocas dispersas cerca de lechos de kelp y arrecifes. Suelen dejarse guiar por la marea para llegar a costas con pendientes poco profundas, donde buscan comida en el lecho marino.

El tiburón leopardo captura a sus presas succionando el agua con la boca. De este modo sorbe la comida, que luego atrapa con los dientes.

Esta especie va muy buscada por los pescadores, que lo venden como alimento. También se capturan vivos para exponerlos en acuarios.

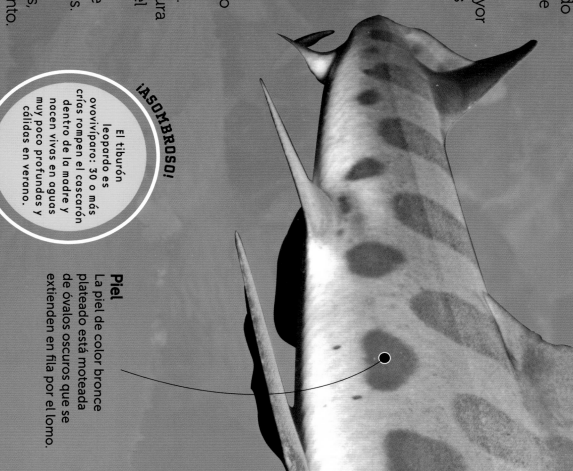

¡ASOMBROSO!

El tiburón leopardo es ovovivíparo: 30 o más crías rompen el cascarón dentro de la madre y nacen vivas en aguas muy poco profundas y cálidas en verano.

Piel
La piel de color bronce plateado está moteada de óvalos oscuros que se extienden en fila por el lomo.

Boca

Tiene la boca en la parte inferior plana de la cabeza y la abre hacia abajo. Es perfecta para un tiburón que nada a ras de la arena para capturar cangrejos, almejas y gusanos.

Ficha

Longitud:	Macho: 0,7-1,2 m (28-47 pulgadas); hembra: 1,1-1,5 m (43-59 pulgadas)
Peso:	Hasta 18,4 kg (41 libras)
Orden:	Tiburones de fondo
Familia:	Triáquidos
Dieta:	Peces, cangrejos, almejas, gambas (derecha), gusanos

Localización

El tiburón leopardo vive en aguas templadas (10-18 °C/ 50-64 °F) poco profundas de las costas del Pacífico, en Norteamérica. Nada desde la superficie hasta unos 90 m (300 pies) de profundidad.

Costa | **Océano**

Zona de luz: 0-200 m (0-650 pies)

Zona de penumbra: 200-1000 m (650-3300 pies)

Zona de medianoche: 1000-4000 m (3300-13000 pies)

Zona del abismo: 4000-6000 m (13000-20000 pies)

TIBURÓN NODRIZA

El tiburón nodriza es uno de los más dóciles que existen. Durante el día se muestra bastante perezoso, descansando en grupo en el fondo marino. Empieza a moverse de noche, que es cuando caza para comer.

El tiburón nodriza es de un color entre amarillento y marrón oscuro. Algunos ejemplares jóvenes presentan pequeñas manchas y bandas negras en la piel.

Le gustan las aguas cálidas y vive cerca del fondo a poca profundidad, a veces cerca de llanos de arena o lodo.

Al contrario que otros tiburones, el tiburón nodriza respira sin necesidad de moverse por el agua. Su sistema respiratorio bombea el agua a través de las branquias mientras descansa durante el día.

El tiburón nodriza obtiene su alimento en el suelo marino. Con sus barbillas detecta la comida en la arena y el lodo del fondo oceánico. A continuación, lo succiona como una aspiradora en lugar de atraparlo con los dientes.

¡ASOMBROSO!

El tiburón nodriza no se llama así porque sea buena madre, sino porque su nombre en inglés, *nurse shark*, viene de *hurse*, que significa «tiburón del fondo marino».

Barbillas

Unos órganos finos en forma de bigotes en la mandíbula inferior, llamados «barbillas», ayudan al tiburón nodriza a encontrar comida en la arena y el lodo del fondo marino.

Aleta caudal

La aleta caudal, extremadamente larga, conforma una cuarta parte de la longitud del tiburón.

Ficha

Longitud:	Macho: 2,1 m (6,9 pies); hembra: 2,4 m (7,9 pies)
Peso:	Macho: 90-120 kg (200-265 libras); hembra: 75-105 kg (165-230 libras)
Orden:	Tiburones alfombra
Familia:	Tiburones nodriza
Dieta:	Rayas, calamares, pulpos, cangrejos, pequeños invertebrados

Localización

El tiburón nodriza vive en las aguas tropicales (más de 18 °C/64 °F) del océano Atlántico occidental y del océano Pacífico oriental. Nada desde la superficie hasta unos 70 m (230 pies) de profundidad.

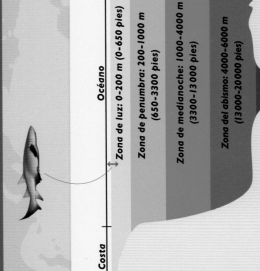

Costa   **Océano**

Zona de luz: 0-200 m (0-650 pies)

Zona de penumbra: 200-1000 m (650-3300 pies)

Zona de medianoche: 1000-4000 m (3300-13 000 pies)

Zona del abismo: 4000-6000 m (13 000-20 000 pies)

TIBURÓN TORO

El tiburón toro es un depredador feroz que se come todo lo que se le pone por delante. Es un animal solitario y suele cazar solo.

El tiburón toro es grande y tiene el cuerpo más ancho que largo. Es gris por arriba y blanco roto por abajo.

Es uno de los pocos tiburones que pueden vivir en agua dulce, y suele verse en ríos y lagos. En una ocasión se avistó un ejemplar 4000 km (2485 millas) río arriba en el Amazonas, en Iquitos, Perú, y se sabe que han remontado el río Misisipí en dirección norte hasta Illinois.

El tiburón toro come todo tipo de animales en el agua, incluidos otros tiburones, sobre todo tiburones trozo. Son una de las especies más peligrosas para los humanos porque son agresivos y a menudo visitan aguas costeras poco profundas donde la gente se baña y hace surf. Muchos de los ataques de tiburones a personas han sido provocados por tiburones toro.

Morro
Es más ancho que largo, una característica poco habitual en un tiburón.

Cuerpo
Al contrario que la mayoría de los tiburones, el tiburón toro tiene el cuerpo más ancho que largo.

¡ASOMBROSO!
A veces, el tiburón toro ataca con la técnica de «golpear y morder», que consiste en darle un cabezazo a su víctima antes de morderla.

Ficha

Longitud: Macho: 2,1 m (7 pies); hembra: 3,5 m (11,5 pies)

Peso: Macho: 90 kg (200 libras); hembra: 287 lb/130 kg

Orden: Tiburones de fondo

Familia: Tiburones réquiem

Dieta: Peces (incluidos otros tiburones), delfines, tortugas, aves, invertebrados

Localización

El tiburón toro vive en las aguas costeras de mares tropicales y subtropicales (más de 18 °C/ 64 °F) de todo el mundo, y a veces en ríos. Nada desde la superficie hasta unos 30 m (100 pies) de profundidad.

Costa

Océano

Zona de luz: 0-200 m (0-650 pies)

Zona de penumbra: 200-1000 m (650-3300 pies)

Zona de medianoche: 1000-4000 m (3300-13 000 pies)

Zona del abismo: 4000-6000 m (13 000-20 000 pies)

TIBURÓN TIGRE

El tiburón tigre se llama así por las franjas y las manchas que cubren el cuerpo de las crías. Su nombre también refleja su fama de cazador grande y poderoso de los mares.

El tiburón tigre es entre gris y marrón por arriba y entre amarillo pálido y blanco por abajo. Es uno de los depredadores de mayor longitud de los mares; los ejemplares más grandes pueden medir 5,5 m (18 pies) de largo y pesar más de 800 kg (1760 libras).

El tiburón tigre se conoce como el «cubo de basura de los mares», ya que come casi de todo. En el estómago de los tiburones tigre muertos se han encontrado neumáticos, botellas, rollos de alambre de púas e incluso una cabeza de cocodrilo.

Estos animales son cazadores solitarios que suelen salir a buscar comida por la noche. En general nadan bastante despacio cuando persiguen a sus presas, pero en pocos segundos ganan una gran velocidad antes de precipitarse sobre ellas.

Dientes
Sus dientes tienen los bordes afilados y serrados, lo cual les permite arrancar y desgarrar casi todo lo que se les pone por delante, incluso caparazones de tortuga.

¡ASOMBROSO!
Científicos de Hawái han descubierto que el tiburón tigre protege las praderas marinas, ya que asusta a las tortugas, la mayor amenaza de estas zonas submarinas.

Ficha

Longitud:	Macho: 3,2 m (10,5 pies); hembra: 2,9 m (9,5 pies)
Peso:	Macho y hembra: 385–635 kg (850–1400 libras)
Orden:	Tiburones de fondo
Familia:	Tiburones réquiem
Dieta:	Peces (incluidos otros tiburones), tortugas cangrejos, almejas, delfines, focas, aves

Aleta caudal

La parte superior de la aleta caudal es muy larga, perfecta para nadar deprisa cuando el tiburón se dispone a atacar.

Localización

El tiburón tigre vive en aguas tropicales (más de 18 °C/64 °F) y templadas (10–18 °C/50–64 °F) de todo el mundo, desde la línea de la costa hasta mar abierto. Nada desde la superficie hasta unos 300 m (1000 pies) de profundidad.

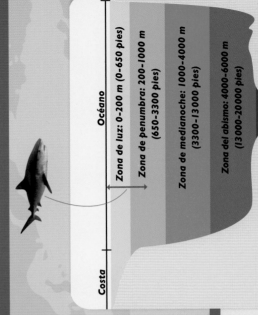

Costa   Océano

Zona de luz: 0–200 m (0–650 pies)

Zona de penumbra: 200–1000 m (650–3300 pies)

Zona de medianoche: 1000–4000 m (3300–13000 pies)

Zona del abismo: 4000–6000 m (13000–20000 pies)

GRAN TIBURÓN BLANCO

El gran tiburón blanco, un animal enorme y agresivo, es el tiburón más peligroso del mundo. Es la especie que más veces ha atacado a bañistas, surfistas, submarinistas y barcas.

El cuerpo del gran tiburón blanco es aerodinámico y en forma de torpedo. A pesar de su nombre, solo es blanco por el vientre, mientras que por arriba es gris o gris azulado. Esta coloración le resulta útil cuando caza a sus presas: él suele atacar desde abajo, de manera que sus presas solo pueden apreciar «algo» gris, un color que se confunde con la oscuridad del agua.

Suele atacar a su víctima por sorpresa y con un mordisco para aturdirla. A veces lo hace con tanta velocidad y potencia que salta fuera del agua. Cuando la víctima está aturdida y moribunda, el tiburón regresa para comérsela.

El gran tiburón blanco es la única especie que asoma la cabeza por fuera del agua, probablemente para avistar focas y leones marinos que nadan en la superficie.

Aletas pectorales
Las grandes aletas pectorales en forma de hoz le ayudan a abrirse paso por el agua.

Ficha

Longitud: Macho: 3,5-4 m (11,5-13 pies); hembra: 4,5-5 m (15-16,5 pies), 6,7 m (22 pies) como máximo

Peso: Macho y hembra: 680-1815 kg (1500-4000 libras), 3175 kg (7000 libras) como máximo

Orden: Tiburones caballa

Familia: Tiburones caballa

Dieta: Peces (incluidos otros tiburones), focas, leones marinos, delfines, ballenas pequeñas, tortugas

Fosas nasales

Con su aguzado sentido del olfato puede detectar una gota de sangre en 100 litros de agua y olerla a 5 km (3 millas) de distancia.

Dientes

Tiene 300 dientes triangulares, serrados y enormes que son tan largos como un dedo humano.

Localización

El gran tiburón blanco vive en aguas templadas (10-18 °C/50-64 °F) de todo el mundo, y a veces en aguas tropicales (más de 18 °C/64 °F). Nada desde la superficie hasta 200 m (650 pies), pero se han visto ejemplares a 1200 m (3900 pies) de profundidad.

Costa | Océano

Zona de luz: 0-200 m (0-650 pies)

Zona de penumbra: 200-1000 m (650-3300 pies)

Zona de medianoche: 1000-4000 m (3300-13000 pies)

Zona del abismo: 4000-6000 m (13000-20000 pies)

TIBURONES DE ARRECIFE

Los tiburones son muy temidos en el arrecife. Los grandes lo rodean en busca de peces, y los pequeños cazan gambas y cangrejos entre los corales.

Tiburón de arrecife de puntas negras

El tiburón de arrecife de puntas negras no tiene predadores. Caza en aguas poco profundas y lagunas y atrapa serpientes marinas, peces y pulpos.

Tiburón de arrecife de puntas blancas

El tiburón de arrecife de puntas blancas es gris amarronado excepto en la puntas de las aletas, que son blancas. Descansa durante el día y busca comida de noche en las fisuras del arrecife de coral.

Un tiburón de arrecife de puntas blancas reposa bajo un saliente de coral.

Tiburón cebra

El tiburón cebra vive en el arrecife. Los adultos tienen la piel moteada, pero cuando son jóvenes tienen franjas, como una cebra. La boca puntiaguda orientada hacia abajo le permite recoger almejas del lecho marino. También caza cangrejos y peces pequeños.

El tiburón de arrecife de puntas negras tiene unas marcas negras características en la punta de las aletas.

¡ASOMBROSO!

A veces, el tiburón de arrecife de puntas negras muerde las piernas de la gente que camina por la orilla. Los expertos creen que es más seguro nadar por el bajío.

Tiburón de arrecife gris

Este tiburón es muy agresivo. Si un submarinista se le acerca demasiado, realiza una serie de movimientos para advertirle que está a punto de atacar: encorva el lomo y se balancea de lado a lado en el agua.

TIBURÓN DE ARRECIFE DE PUNTAS NEGRAS

Nadador rápido y activo, vive en los arrecifes de coral de las aguas tropicales del Índico y el Pacífico occidental y central, en aguas costeras poco profundas.

Estos tiburones aerodinámicos son de color gris amarronado por arriba y blancos por abajo.

Cazadores rápidos y activos, acechan a los peces pequeños y los invertebrados por todo el arrecife. Cazan en un perímetro bastante reducido y no se alejan mucho de su zona, donde a menudo permanecen varios años seguidos.

Muchos tiburones de arrecife de puntas negras se encuentran cerca de salientes de roca y llanos arenosos, aunque también se han visto nadar en aguas salobres (parcialmente saladas) e incluso en agua dulce cerca del mar.

Este tiburón es bastante tímido y no supone una amenaza seria para los humanos. Aun así, ha mordido a personas que nadaban cerca de ellos y, sobre todo, que caminaban por la orilla.

Cabeza
El morro es corto y romo, los ojos son ovalados y la boca está llena de dientes estrechos y aserrados.

Aletas
Todas las aletas tienen las puntas negras o marrón oscuro. Esta coloración resulta más evidente en la aleta dorsal, que tiene una franja más clara debajo.

Ficha

Longitud:	Macho y hembra: 1,6-1,8 m (5,2-5,9 pies)
Peso:	Macho y hembra: hasta 14 kg (31 libras)
Orden:	Tiburones de fondo
Familia:	Tiburones réquiem
Dieta:	Peces pequeños calamares, gambas, pulpos (derecha)

Cola
La aleta caudal en forma de hoz impulsa al tiburón de arrecife de puntas negras a toda velocidad por el agua.

Localización
El tiburón de arrecife de puntas negras vive en las aguas tropicales (más de 18 ° C/64 °F) poco profundas de los océanos Índico y Pacífico, y en el Mediterráneo oriental. Nada desde la superficie hasta unos 70 m (230 pies) de profundidad.

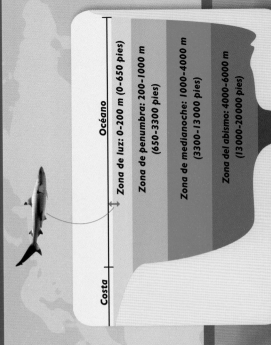

Océano

Costa

Zona de luz: 0-200 m (0-650 pies)

Zona de penumbra: 200-1000 m (650-3300 pies)

Zona de medianoche: 1000-4000 m (3300-13000 pies)

Zona del abismo: 4000-6000 m (13000-20000 pies)

TIBURÓN DE ARRECIFE DEL CARIBE

Uno de los tiburones caribeños más comunes. Su mayor actividad tiene lugar durante la noche, cuando caza peces e invertebrados para comer.

El tiburón de arrecife del Caribe presenta la forma musculosa y aerodinámica propia de los tiburones réquiem. Tiene el lomo entre gris oscuro y marrón grisáceo, y el vientre entre blanco y amarillo claro.

Vive cerca de los arrecifes de coral y el fondo oceánico próximo a plataformas continentales e insulares. Prefiere aguas poco profundas de 30 m (100 pies) como máximo. Se alimenta sobre todo de peces pequeños, que atrapa con una esquina de la boca. Después realiza un rápido movimiento lateral de las mandíbulas.

Este tiburón es una atracción para los submarinistas de las aguas cristalinas del Caribe, e incluso se ofrecen espectáculos turísticos para alimentarlos. Hay quien piensa que esto cambia el equilibrio natural de la cadena trófica y que los tiburones pueden empezar a ver a los humanos como una fuente de alimento, lo que aumentaría la posibilidad de que atacasen.

¡ASOMBROSO!

Estos tiburones suelen encontrarse en los márgenes de los arrecifes de coral y a veces, incluso, tendidos inmóviles en el fondo oceánico como si durmieran.

Aletas
La punta de las aletas inferiores es oscura, igual que el contorno posterior de la aleta caudal.

Ficha

Longitud: Macho: 2-2,5 m (6,5-8 pies); hembra: hasta 3 m (10 pies)

Peso: Macho y hembra: hasta 70 kg (154 libras)

Orden: Tiburones de fondo

Familia: Tiburones réquiem

Dieta: Peces, incluidas rayas, invertebrados como pulpos y calamares

Ojos

Los ojos son grandes y redondos, con terceros párpados protectores que pueden cerrarse para que los ojos no sufran daños.

Localización

El tiburón de arrecife del Caribe vive en las aguas tropicales (más de 18 °C/64 °F) poco profundas del océano Atlántico occidental, hasta el norte de Brasil. Este tiburón aerodinámico nada desde la superficie hasta unos 30 m (100 pies) de profundidad.

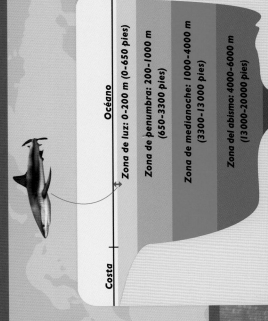

Costa | Océano

Zona de luz: 0-200 m (0-650 pies)

Zona de penumbra: 200-1000 m (650-3300 pies)

Zona de medianoche: 1000-4000 m (3300-13000 pies)

Zona del abismo: 4000-6000 m (13000-20000 pies)

TIBURÓN DE ARRECIFE DE PUNTAS BLANCAS

El tiburón más común de los arrecifes de coral del Índico y el Pacífico suele encontrarse en el fondo marino o cerca de él, en aguas cristalinas.

Durante el día, el tiburón de arrecife de puntas blancas pasa mucho tiempo descansando en cuevas o incluso sin estar a cubierto, tendido en el lecho marino. Al contrario que otros tiburones réquiem, que tienen que nadar constantemente para respirar, puede quedarse inmóvil en el fondo sin temor a ahogarse, ya que bombea el agua por las branquias.

De noche, el tiburón empieza a cazar. Su cuerpo está diseñado para ir recorriendo los huecos del arrecife en busca de peces. A veces parten trozos de coral por su avidez de atrapar a sus presas. Su alimento no está al alcance de otras especies de tiburón que se alimentan en aguas abiertas. Por ello pueden convivir con otras especies de tiburones de arrecife sin competir por las mismas fuentes de comida.

Cabeza
La cabeza es corta pero ancha, y tiene unas aletas de piel en forma de bigotes junto a las fosas nasales llamadas «barbillas».

Cuerpo
El cuerpo largo y delgado es perfecto para abrirse camino entre las pequeñas grietas del arrecife.

¡ASOMBROSO!
La piel gruesa del tiburón de puntas blancas de arrecife es lo bastante dura como para evitar que se corte o se rasguñe al chocar con un coral puntiagudo.

Ficha

Longitud:	Macho y hembra: 1-1,6 m (3,6-5,2 pies)
Peso:	Macho y hembra: hasta 18 kg (40 libras)
Orden:	Tiburones de fondo
Familia:	Tiburones réquiem
Dieta:	Peces, pulpos, cangrejos, langostas (derecha)

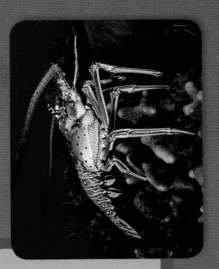

Aletas

Este tiburón se llama así por las prominentes puntas blancas de la primera aleta dorsal y la aleta caudal.

Localización

El tiburón de arrecife de puntas blancas vive en las aguas tropicales y subtropicales (más de 18 °C/ 64 °F) poco profundas de los océanos Índico y Pacífico y en la costa de Centroamérica. Nada desde la superficie hasta unos 40 m (130 pies) de profundidad.

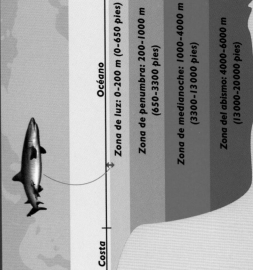

Costa   **Océano**

Zona de luz: 0-200 m (0-650 pies)

Zona de penumbra: 200-1000 m (650-3300 pies)

Zona de medianoche: 1000-4000 m (3300-13 000 pies)

Zona del abismo: 4000-6000 m (13 000-20 000 pies)

DEFENSA EN EL ARRECIFE

Los animales del arrecife se protegen de distintas formas de los tiburones y otros predadores. Unos se defienden con armaduras o venenos. Otros recurren al camuflaje para ocultarse en el arrecife.

Ocultos entre el coral

Los corales son un magnífico escondrijo para los animales que viven en él. Para escapar de los numerosos predadores que intentan comérselos, se esconden en los miles de grietas y fisuras que forman parte de la estructura del arrecife.

Armadura

El caballito de mar se defiende con una armadura. El duro caparazón le ofrece una buena protección, pero le impide nadar con soltura. Con todo, en general recurre al camuflaje para ocultarse de los predadores hambrientos.

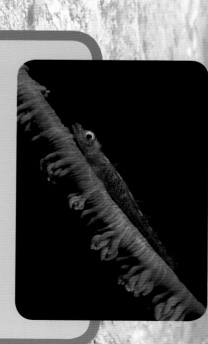

Camuflaje de sapo

El pez sapo se parece más a un trozo de coral o de esponja que a un pez. Completamente inmóvil, se confunde con el arrecife y cuesta mucho verlo.

El escondite

Los animales más diminutos, como este gobio, se ocultan entre las ramas del coral. Los gobios más pequeños miden menos de 1 cm (0.5 pulgada) de largo.

Espinas de defensa

La armadura espinosa del pez cofre cornudo, que tiene largas espinas sobre cada ojo, le confiere su insólito aspecto. Además, cuando le atacan, su piel secreta un veneno que lanza al agua.

¡ASOMBROSO!

Muchos de los animales que viven en el arrecife son nocturnos: se ocultan durante el día en cuevas y grietas, y por la noche salen a cazar sin temor a ser descubiertos.

El pez piedra se parece a un trozo de roca de coral. Un magnífico camuflaje.

AGUAS POCO PROFUNDAS

En mar abierto viven menos animales que en las aguas costeras y los arrecifes de coral. Muchos de los que viven aquí se encuentran en la capa superficial, que abarca los primeros 200 m (650 pies).

Luz en el agua

El sol ilumina los primeros 30 m (100 pies) de profundidad del océano, pero a partir de aquí reina la oscuridad. A los 200 m (650 pies) no hay luz y el agua se ve entre azul y negra.

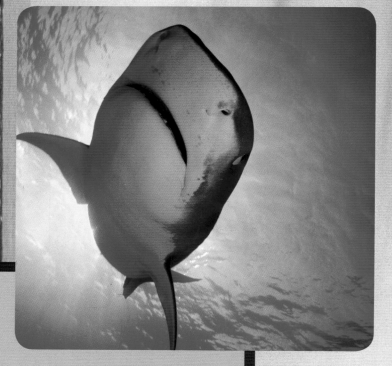

Contracoloración

Muchos tiburones tienen el lomo oscuro y el vientre blanco. Esto se llama «contracoloración». Desde arriba el lomo se confunde con el agua. Desde abajo, sus vientres blancos se confunden con la luz del sol.

Olas superficiales

Cuando el viento sopla sobre la superficie del océano, crea olas. A medida que estas crecen, el viento las mueve y provoca que el agua se mezcle.

¡ASOMBROSO!

Cuando hay tormenta en el mar, no es raro que las olas alcancen más de 30 m (100 pies) de altura: son tan altas como un edificio de diez plantas.

Pez volador

El pez volador escapa de sus predadores de una manera muy curiosa. Cuando se siente amenazado, nada recto por la superficie del agua y vuela por los aires, usando las aletas como si fueran alas. Puede deslizarse hasta 100 m (330 pies) por la superficie del agua.

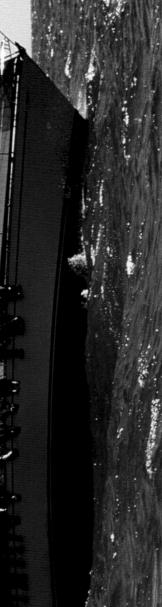

El viento que sopla sobre la superficie del mar empuja embarcaciones de vela como este yate.

YENDO Y VINIENDO

Por el día, en la superficie del agua iluminada por el sol apenas hay animales pequeños. Muchos se ocultan en las aguas más oscuras del fondo y regresan para comer al amparo de la oscuridad.

Viajeros nocturnos

Este movimiento diario suele ser de unos cientos de metros, pero para animales diminutos como gambas y copépodos resulta un largo viaje. Pero es la única manera de alimentarse sin correr peligro.

Gamba

Migración masiva

Muchos tipos de plancton y algunos peces que se alimentan de plancton migran, incluidos el krill, el arenque y la caballa.

Al atardecer, los animales nadan hasta la superficie para alimentarse.

Al amanecer, regresan a las aguas oscuras del fondo.

De noche, los animales se alimentan de plancton.

¡ASOMBROSO!

El plancton vegetal que forma la base de la cadena trófica del océano vive cerca de la superficie porque necesita la luz del sol para realizar la fotosíntesis.

Pez linterna

El pez linterna recorre las distancias más grandes a diario. Durante el día se sumerge a más de 1700 m (5600 pies) y de noche asciende a 100 m (330 pies) de la superficie. Se llama así porque en el cuerpo tiene unos órganos que se iluminan (llamados «fotóforos»).

El tiburón tigre come todo tipo de animales marinos, incluidos delfines, focas, tortugas, peces e incluso otros tiburones.

Tiburón tigre

El tiburón tigre es uno de los tiburones más grandes que existen. Caza sobre todo de noche, cuando se aproxima a la superficie del agua. Durante el día se sumerge en las profundidades del océano, normalmente a unos 300 m (1000 pies).

TIBURÓN BALLENA

Pese a su nombre, el pez más grande del océano no es una ballena, sino un tiburón gigantesco que se desplaza lentamente por el mar, sorbiendo grandes cantidades de agua porque es filtrador.

El tiburón ballena tiene unas marcas características (franjas y motas aleatorias) en toda la piel. La piel puede tener hasta 10 cm (4 pulgadas) de grosor. En general, el color de fondo es gris oscuro, azul o marrón. Tres grandes crestas atraviesan cada lado de su cuerpo.

Estos tiburones viven en aguas templadas, normalmente en mar abierto, aunque también se acercan bastante a la costa. Suelen alimentarse en solitario, nadando cerca de la superficie, donde capturan grandes cantidades de plancton y peces pequeños con su boca enorme. Después, separa el alimento del agua filtrándolo.

El tiburón ballena no tiene dientes y es bastante inofensivo para los humanos. No se siente amenazado si ve que los submarinistas se le acercan bajo el agua.

Boca
Con su boca enorme aspira plancton y peces pequeños.

¡ASOMBROSO!
El tiburón ballena necesita una gran cantidad de comida diminuta. Los científicos calcularon que un ejemplar joven tomaba más de 21 kg (46 libras) de comida al día.

Ficha

Longitud: Macho y hembra: 6-12 m (20-40 pies)

Peso: Macho y hembra: en general unas 16,5 toneladas, 22,5 toneladas como máximo

Orden: Tiburones alfombra

Familia: Tiburones ballena

Dieta: Plancton (derecha), peces pequeños, crustáceos

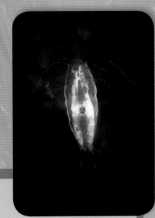

Barbillas

Las grandes branquiespinas erizadas de detrás de las agallas filtran las partículas de comida del agua.

Localización

El tiburón ballena vive en aguas tropicales (más de 18 °C/64 °F) y cálidas (10-18 °C/ 50-64 °F) de todo el mundo. Nada desde la superficie hasta 700 m (2300 pies) de profundidad.

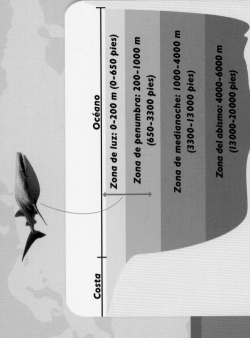

Costa

Océano

Zona de luz: 0-200 m (0-650 pies)

Zona de penumbra: 200-1000 m (650-3300 pies)

Zona de medianoche: 1000-4000 m (3300-13000 pies)

Zona del abismo: 4000-6000 m (13000-20000 pies)

TIBURÓN AZUL

El tiburón azul es un viajero de larga distancia. Nada centenares de kilómetros cada año en busca de comida o para aparearse.

El tiburón azul tiene el lomo de un azul intenso y el vientre blanco, dos colores que le ayudan a camuflarse en el mar. Visto desde arriba, el azul se confunde con las aguas turbias, y visto desde abajo, el blanco le ayuda a camuflarse con la luz del sol.

Estos grandes tiburones cazan con la boca abierta de par en par, atrapando peces pequeños como sardinas con las mandíbulas. También se alimentan de calamares y otros invertebrados como pulpos y sepias.

En general, el tiburón azul nada lentamente, aunque se mueve muy deprisa cuando ataca a sus presas. Recorre grandes distancias en su extenso hábitat. Un ejemplar de tiburón azul recorrió nada menos que 5980 km (3740 millas) entre Nueva York y la costa de Brasil.

¡ASOMBROSO!

Cuando migran al Atlántico norte, las hembras de tiburón azul se dejan llevar por las fuertes corrientes para no malgastar energía.

Cola
La larga cola se mueve de lado a lado para impulsar a este gran nadador.

Ojos
Los grandes ojos están protegidos por un tercer párpado transparente que el tiburón desliza sobre el globo ocular cuando caza.

Aletas pectorales
Las aletas pectorales tienen la misma longitud que la distancia que separa la punta del morro de la última agalla.

Ficha

Longitud: Macho: 1,8-2,8 m (6-9,3 pies);
            hembra: 2,2-3,3 m (7,2-10,8 pies)

Peso: Macho: 27-54 kg (60-120 libras);
            hembra: 93-181 kg (205-400 libras)

Orden: Tiburones de fondo

Familia: Tiburones réquiem

Dieta: Peces, calamares y otros invertebrados

Dientes

Los dientes de bordes serrados permiten agarrar los calamares y otros animales que tienen el cuerpo resbaladizo.

Localización

El tiburón azul vive en aguas templadas (10-18 °C/50-64 °F) y a más profundidad en aguas tropicales (más de 18 °C/64 °F) de todo el mundo. Nada desde la superficie hasta 350 m (1150 pies de profundidad.

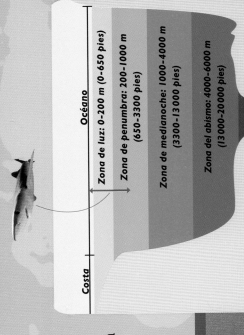

Costa

Océano

Zona de luz: 0-200 m (0-650 pies)

Zona de penumbra: 200-1000 m (650-3300 pies)

Zona de medianoche: 1000-4000 m (3300-13 000 pies)

Zona del abismo: 4000-6000 m (13 000-20 000 pies)

TIBURÓN MARTILLO GIGANTE

De las nueve especies de tiburón martillo que existen, el tiburón martillo gigante es el más grande. La forma de su cabeza es única.

El tiburón martillo es entre grismarrón y verde oliva por arriba, y blanco roto por abajo.

Nadie sabe a ciencia cierta por qué tiene la cabeza tan extraña. Los científicos creen que la gran distancia que separa los ojos le ofrece un amplio campo de visión por arriba y por abajo. Los grupos de sensores especiales de debajo del «martillo» podrían ayudarle a detectar la presencia de mantarrayas cuando están enterradas en el lecho marino. Incluso se ha visto cómo algún tiburón martillo inmovilizaba con la cabeza una mantarraya en la arena mientras le propinaba un mordisco en las alas para que no se escapara.

El tiburón martillo gigante migra a aguas más cálidas durante el invierno, y en verano regresa a su hábitat de alimentación habitual.

Aleta dorsal
La aleta dorsal puntiaguda y alta ayuda al tiburón a estabilizarse cuando gira rápidamente por el agua mientras caza a sus presas.

Cabeza
La cabeza tiene forma de martillo aplanado con los ojos en ambos extremos.

Cola

La alta aleta caudal, formada por una parte superior grande, llamada lóbulo, y la parte inferior más pequeña, impulsa al tiburón por el agua.

Ficha

Longitud:	Macho y hembra: 4-6 m (13-20 pies)
Peso:	Macho y hembra: 227-454 kg (500-1000 libras)
Orden:	Tiburones de fondo
Familia:	Tiburones martillo
Dieta:	Peces, incluidas rayas (abajo) y otros tiburones, calamares, pulpos, crustáceos

Localización

El tiburón martillo gigante vive en aguas tropicales y subtropicales (más de 18 °C/64 °F) de todo el mundo. Nada desde la superficie hasta unos 80 m (260 pies) de profundidad.

Océano

Costa

Zona de luz: 0-200 m (0-650 pies)

Zona de penumbra: 200-1000 m (650-3300 pies)

Zona de medianoche: 1000-4000 m (3300-13000 pies)

Zona del abismo: 4000-6000 m (13000-20000 pies)

TIBURÓN MAKO
DE ALETA CORTA

Es uno de los tiburones más rápidos. Alcanza 48 km/h (30 millas/h) cuando persigue a sus presas y salta hasta 6 m (20 pies) por encima del agua.

El tiburón mako de aleta corta es azul metálico por arriba y blanco por abajo. Gracias a esta contracoloración, pasa desapercibido en el agua visto desde arriba y desde abajo.

La velocidad que alcanza este tiburón le permite alimentarse de peces muy rápidos, como el atún, el pez espada e incluso otros tiburones. Si llega a capturarlos es porque nada más deprisa que ellos.

Debido a su tamaño y rapidez, el mako puede entrañar un peligro para los humanos. Se han producido numerosos ataques a nadadores y submarinistas, algunos de ellos con consecuencias fatales. Según el testimonio de los submarinistas, el tiburón nada trazando formas de ocho antes de abalanzarse sobre su presa y atacarla con la boca abierta.

¡ASOMBROSO!

El tiburón mako de aleta corta caza peces espada, pero a veces sus víctimas se defienden e incluso logran matarlo con sus «espadas».

Forma del cuerpo

El mako tiene el cuerpo aerodinámico y el morro largo y cónico. Se desliza fácilmente por el agua, por eso nada tan deprisa.

Ficha

Longitud: Macho y hembra: 1,8-2,4 m (6-8 pies), 3,9 m (12,8 pies) como máximo

Peso: Macho y hembra: 60-136 kg (132-300 libras); 567 kg (1250 libras) como máximo

Orden: Tiburones caballa

Familia: Tiburones caballa

Dieta: Peces, incluidos otros tiburones, rayas, delfines (derecha), calamares, ballenas pequeñas

Dientes

Sus dientes finos, ligeramente curvados y puntiagudos y con los cantos afilados, permiten al mako atrapar peces veloces y resbaladizos.

Localización

El tiburón mako de aleta corta vive en aguas templadas (10-18 °C/50-64 °F) y tropicales (más de 18 °C/64 °F) de todo el mundo. Nada desde la superficie hasta unos 150 m (500 pies) de profundidad.

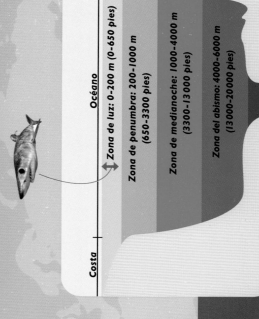

Océano

Costa

Zona de luz: 0-200 m (0-650 pies)

Zona de penumbra: 200-1000 m (650-3300 pies)

Zona de medianoche: 1000-4000 m (3300-13 000 pies)

Zona del abismo: 4000-6000 m (13 000-20 000 pies)

TIBURÓN SEDOSO

Este tiburón es uno de los más comunes en mar abierto. Existen decenas de millones de estos depredadores delgados y ágiles que viven en aguas tropicales.

El lomo del tiburón sedoso es entre marrón oscuro y azul-gris. En general tiene el vientre blanco, y las aletas inferiores pueden tener las puntas oscuras por abajo.

Suele cazar en solitario, y la mayor parte de veces ataca a los peces que nadan en aguas abiertas. Siente una predilección especial por los atunes y suele verse persiguiendo bancos de estos peces. En ocasiones, cuando hay muchos peces en el agua, el tiburón sedoso caza en grupo, «guiando» el banco hasta la superficie. Después, penetra en el banco con la boca abierta para atrapar los atunes entre las mandíbulas.

El tiburón sedoso puede actuar con agresividad con respecto a los humanos, pero como suele encontrarse en mar abierto es poco probable que tenga contacto con los submarinistas.

Piel
La piel es suave al tacto, al contrario que la de otras especies de tiburones, que es rugosa.

Aleta pectoral
Las aletas pectorales largas y curvadas le proporcionan impulso cuando nada por el agua.

Ficha

Longitud: Macho: 1,8-2,1 m (6-7 pies),
Hembra: 2,1-2,3 m (7-7,5)

Peso: Macho y hembra: 175-300 kg (385-660 libras),
363 kg (800 libras) como máximo

Orden: Tiburones de fondo

Familia: Tiburones réquiem

Dieta: Peces (derecha)
calamares, crustáceos

Aleta dorsal

La aleta dorsal, corta y
redondeada, le ayuda a
mantener el equilibrio.

Localización

El tiburón sedoso vive en aguas tropicales y
subtropicales de todo el mundo, normalmente
a una temperatura de 23 °C (73 °F) o más. Nada
desde unos 18 m (60 pies) hasta unos 500 m
(1640 pies) de profundidad.

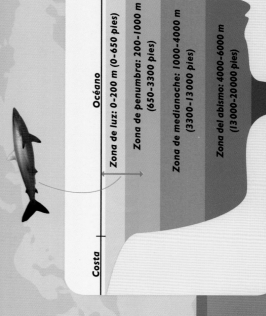

Costa   Océano

Zona de luz: 0-200 m (0-650 pies)

Zona de penumbra: 200-1000 m
(650-3300 pies)

Zona de medianoche: 1000-4000 m
(3300-13 000 pies)

Zona del abismo: 4000-6000 m
(13 000-20 000 pies)

TIBURÓN OCEÁNICO DE PUNTAS BLANCAS

Vive en mar abierto y suele seguir a los barcos para aprovechar los peces que se tiran por la borda.

La parte superior del tiburón oceánico de puntas blancas varía entre el color bronce-grisáceo y el marrón, según su lugar de origen. Por abajo es blanquecino, a veces con matices amarillos.

Este tiburón suele cazar en solitario, aunque forma grupos cuando abunda la comida. Acostumbra a nadar en mar abierto, cerca de la superficie. Abarca vastas franjas de agua vacía en busca de comida de día y de noche, y se mueve bastante despacio. Sin embargo, cuando se acerca a su presa, en general peces o invertebrados, alcanza grandes velocidades en unos segundos.

Aunque no suele encontrarse cerca de la costa, el tiburón oceánico de puntas blancas es peligroso para los humanos por su naturaleza depredadora. En la Segunda Guerra Mundial causó la muerte a muchos marineros y aviadores que cayeron al agua cuando sus barcos se hundieron o sus aviones fueron bombardeados.

¡ASOMBROSO!

Cuando un tiburón oceánico de puntas blancas detecta el olor de la sangre, empieza a nadar frenéticamente y a morder lo que tiene cerca.

Dientes

Los dientes superiores triangulares y afilados y los inferiores puntiagudos son ideales para agarrar y desgarrar a sus presas.

Ficha

Longitud:	Macho y hembra: hasta 3 m (10 pies)
Peso:	Macho y hembra: 35-70 kg (77-154 libras). 167 kg (368 libras) como máximo
Orden:	Tiburones de fondo
Familia:	Tiburones réquiem
Dieta:	Peces, calamares y otros moluscos, tortugas marinas, crustáceos

Aleta dorsal

La aleta de este tiburón es grande y redondeada.

Aletas pectorales

Las largas aletas en forma de pala están situadas detrás de las agallas, algo más abajo. Todas las aletas grandes tienen las puntas blancas.

Localización

El tiburón oceánico de puntas blancas vive en aguas tropicales de todo el mundo, normalmente a temperaturas entre 20 y 28 °C (68-82 °F). Nada desde la superficie hasta unos 150 m (500 pies) de profundidad.

Costa

Océano

Zona de luz: 0-200 m (0-650 pies)

Zona de penumbra: 200-1000 m (650-3300 pies)

Zona de medianoche: 1000-4000 m (3300-13000 pies)

Zona del abismo: 4000-6000 m (13 000-20 000 pies)

AGUAS PROFUNDAS

Cuanto más al fondo, más oscuro y frío está el mar. Además, aumenta la presión. En aguas muy profundas, un submarinista quedaría «aplastado» y sin una gota de aire en los pulmones. Solo los animales adaptados a este entorno sobreviven. La capa superficial desciende unos 200 m (650 pies). Después vienen la zona de penumbra, a unos 1000 m (3300 pies), y la de medianoche, que llega hasta el lecho marino.

Zona de luz

La luz del sol se cuela a unos 200 m (650 pies) de profundidad. Aquí, en la capa superficial, hay luz suficiente para que el plancton vegetal y las algas obtengan su alimento.

El tiburón nodriza pasa mucho tiempo en la zona de luz del océano.

Zona de penumbra

Bajo la capa superficial aún hay un poco de luz, suficiente para que algunos animales puedan ver. Los animales bajan desde la superficie hasta aquí para estar más seguros.

La cañabota gris vive cerca del lecho marino.

Zona de medianoche

En esta zona completamente a oscuras y muy fría, el agua está quieta. Los peces y otros animales marinos que viven por debajo de los 500 m (1640 pies) aguantan la gran presión del agua.

El cachalote puede permanecer más de una hora bajo el agua, sin salir a la superficie a respirar, y sumergirse a profundidades increíbles.

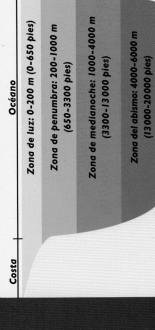

Océano

Costa

Zona de luz: 0-200 m (0-650 pies)

Zona de penumbra: 200-1000 m (650-3300 pies)

Zona de medianoche: 1000-4000 m (3300-13000 pies)

Zona del abismo: 4000-6000 m (13000-20000 pies)

TIBURÓN DUENDE

Se sabe muy poco del tiburón duende, puesto que vive en lo más profundo del océano. Hasta la fecha solo se han podido estudiar 45 especímenes.

El tiburón duende se ve poco porque vive en aguas profundas, al fondo del océano. Solo se pueden contemplar cuando por desgracia quedan atrapados en las redes de pesca de las barcas de arrastre de altura. Su color rosa-gris se debe a que sus vasos sanguíneos están cerca de la superficie de la piel y se distinguen a través de ella.

En las profundidades marinas reina la oscuridad más absoluta, por eso el tiburón duende no puede ver a sus presas. Los científicos creen que unos órganos especiales del largo morro detectarían los sutiles campos eléctricos creados por otros peces e invertebrados al moverse. Asimismo, con el morro desenterraría peces y crustáceos ocultos en la arena y el limo.

Las mandíbulas de este tiburón actúan como una trampa con resorte. Los dientes y las mandíbulas se catapultan hacia delante, como un telescopio, para arrancar los peces del agua. Después vuelven a su posición normal.

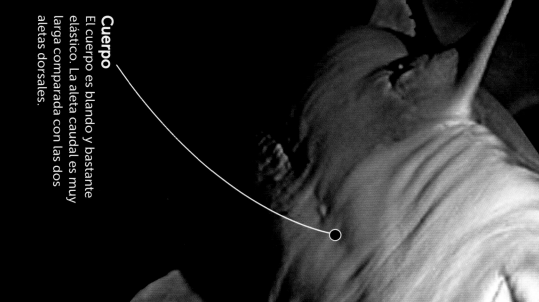

Cuerpo
El cuerpo es blando y bastante elástico. La aleta caudal es muy larga comparada con las dos aletas dorsales.

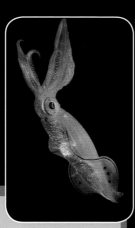

Ficha

Longitud:	Macho y hembra: 3-4 m (10-13 pies)
Peso:	Macho y hembra: unos 181 kg (400 libras), 210 kg (463 libras) como máximo
Orden:	Tiburones caballa
Familia:	Tiburones duende
Dieta:	Peces, calamares (derecha) y otros moluscos, crustáceos

Morro

El gran morro aplanado le sobresale de la parte superior de la cabeza. Debajo están las mandíbulas con sus dientes finos y afilados.

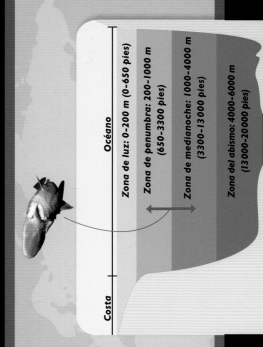

Océano

Zona de luz: 0-200 m (0-650 pies)

Zona de penumbra: 200-1000 m (650-3300 pies)

Zona de medianoche: 1000-4000 m (3300-13000 pies)

Zona del abismo: 4000-6000 m (13000-20000 pies)

Costa

Localización

El tiburón duende se ha visto en las costas de Japón, Australia, Nueva Zelanda y el sur de África, así como en los océanos Atlántico oriental e Índico. Nada cerca del fondo a unos 250 m (820 pies) de profundidad, pero puede bajar a 1200 m (3950 pies) o más.

CAÑABOTA GRIS

En general este tiburón grande vive en la oscuridad del fondo marino, a unos 200 m (6560 pies) de la superficie.

El color de este tiburón va del gris y el verde oliva al marrón por la parte superior, palideciendo a un color más claro por abajo. A lo largo de cada flanco tiene una línea de color claro. Los ojos, pequeños y en forma de gota, son verdes con las pupilas negras.

Suele cazar en solitario, nadando lenta y continuamente por el agua en busca de comida. Cuando advierte algo para comer, acelera rápidamente para atrapar a su presa. Los dientes de la mandíbula inferior, en forma de la hoja de un serrucho, le sirven para desgarrar el cuerpo de peces grandes que no puede tragar enteros.

La cañabota gris no se considera peligrosa para los humanos, ya que es un animal bastante tímido y no es agresivo, a no ser que se sienta amenazado. Además, suele permanecer en aguas profundas, donde los submarinistas no pueden seguirle.

Agallas

Muchos tiburones tienen cinco agallas a cada lado del cuerpo, pero la cañabota gris tiene seis agallas alargadas.

¡ASOMBROSO!

La cañabota gris descansa en el fondo del océano durante el día, pero sube a la superficie por la noche a cazar peces y focas.

Longitud: Macho: 3-3,3 m (10-11 pies);
hembra: 3,5-4,3 m (11,5-14 pies)

Peso: Macho: 200 kg (440 libras);
hembra: 400 kg (880 libras);
590 kg (1300 libras) como máximo

Orden: Tiburones anguila y cañabotas

Familia: Cañabotas

Dieta: Peces, caracoles, cangrejos (derecha),
gambas, calamares, mamíferos marinos

Aleta dorsal

Este tiburón solo tiene una aleta
dorsal en el lomo, bastante alejada
de la cabeza y muy próxima a la cola.

Localización

La cañabota gris vive en aguas tropicales
(más de 18 °C/64 °F) y templadas (50-64 °F/
10-18 °C) de todo el mundo. En general, nada
desde unos 90 m (295 pies) a 2000 m (6560 pies)
de profundidad.

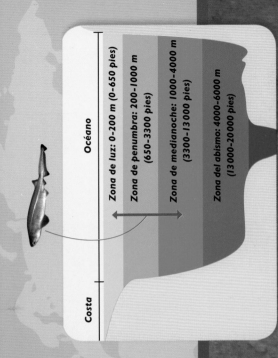

Costa ／ Océano

Zona de luz: 0-200 m (0-650 pies)

Zona de penumbra: 200-1000 m
(650-3300 pies)

Zona de medianoche: 1000-4000 m
(3300-13 000 pies)

Zona del abismo: 4000-6000 m
(13 000-20 000 pies)

LOS TIBURONES DE CERCA

Los tiburones despiertan mucha curiosidad porque son animales grandes, poderosos y fascinantes. Existen distintas formas de verlos de cerca.

Submarinismo con tiburones

En las aguas cálidas y cristalinas de los trópicos, practicar submarinismo rodeados de tiburones se ha convertido en una atracción turística. Algunas empresas incluso alimentan a los tiburones para atraerlos a un determinado lugar.

En el acuario

Una de las maneras de ver de cerca a los tiburones es visitar uno de los muchos acuarios que los exponen al público. Además de atraer turistas, estos lugares permiten que los científicos estudien el comportamiento de estos animales para protegerlos.

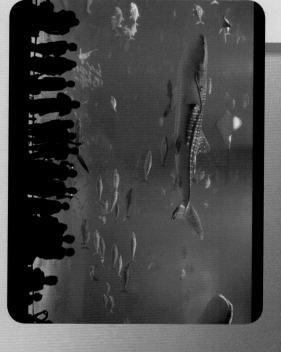

¡ASOMBROSO!

Los científicos pueden estudiar especies peligrosas gracias a submarinos que actúan por radiocontrol y sin tripulación. Estos aparatos localizan, rastrean y graban a los animales muy de cerca.

Jaula para ver tiburones

El gran tiburón blanco se considera la especie más peligrosa para el ser humano. Actualmente, algunos submarinistas tienen la posibilidad de contemplarlo y fotografiarlo desde el interior de unas jaulas metálicas sin temor a un ataque inesperado.

Gran tiburón blanco

Desde la seguridad y protección de una especie de jaula muy resistente, los submarinistas pueden tomar fotografías de tiburones enormes.

En la pantalla

Gracias a los documentales sabemos bastante acerca de los tiburones. Estos excelentes reportajes nos permiten conocer su comportamiento y sus hábitos. Películas como *Tiburón* y *Deep Blue Sea* retratan al tiburón como un monstruo asesino.

ATAQUES DE TIBURONES

Cuando un tiburón ataca a alguien que nada cerca de la costa, la noticia corre como la pólvora, sobre todo si la víctima muere. Pero muchos expertos aseguran que es muy poco probable que un tiburón ataque a un humano.

Ataques insólitos

En todo el mundo se producen solo entre 70 y 100 ataques cada año, de los cuales de 10 a 15 son mortales. Cada año mueren más personas a consecuencia de las picaduras de abeja.

Estrella del surf

En octubre de 2003, con trece años de edad, Bethany Hamilton hacía surf en las costas de Hawái cuando un tiburón tigre le arrancó el brazo derecho. Hamilton sobrevivió al ataque y volvió al agua 26 días después. En 2007 se convirtió en surfista profesional.

Si un tiburón ataca a un surfista, es probable que haya confundido el contorno de la tabla de surf con una presa.

Superviviente

Uno de los mejores expertos en el gran tiburón blanco, Rodney Fox, fue víctima de un ataque terrible en 1963. Un tiburón prácticamente le partió por la mitad y necesitó más de 450 puntos de sutura. Desde entonces ha dedicado su vida a amar y conservar el gran tiburón blanco.

Posibilidad de defensa

Si alguien tiene la mala suerte de que un tiburón le ataque, puede intentar defenderse golpeándole en el morro y arañándole los ojos y las agallas.

Los ojos y el morro son las partes vulnerables del tiburón.

MARES EN PELIGRO

Los mares son importantes para las personas. Transportamos mercancías básicas en barco y obtenemos alimentos y recursos naturales del mar. Sin embargo, también dañamos los mares con la contaminación y la sobreexplotación pesquera, lo cual supone además un problema para los tiburones.

Peligros de la contaminación

Cuando se produce un vertido de petróleo o los residuos van a parar al mar, los humanos están contribuyendo a contaminar los océanos. La contaminación puede envenenar a los peces, que les traspasan muchos productos químicos a los tiburones que se los comen.

A veces los tiburones quedan atrapados en las redes y mueren.

Los accidentes marítimos suelen acabar contaminando el mar.

Aguas residuales

Cada año millones de litros de aguas residuales van a parar al mar. Los peces que viven en la costa pueden verse afectados por su toxicidad. Esto también afecta a los tiburones que se alimentan de los peces que viven en estas aguas.

Pocas crías

Los tiburones tardan en madurar, y en cada ciclo de cría conciben pocos individuos. Esto significa que cuando la población es castigada por la sobrepesca o la contaminación del mar, el censo tarda mucho en recuperarse.

Basura que va a parar al mar

Entre los materiales de desecho que van a parar al mar se cuentan sedales, redes y plásticos en los que los tiburones quedan a veces atrapados. Si no pueden liberarse, mueren en el agua.

PESCA

Muchos tiburones se conocen como superpredadores. Esto significa que matan y se comen a otros animales, pero que prácticamente ningún predador marino los mata a ellos. No obstante, los tiburones tienen un enemigo mortal en tierra firme: el hombre.

Pesca comercial

Cada año se capturan y se matan unos 100 millones de tiburones. Esto se debe a que mucha gente vive de la pesca de estos animales, cuyos productos, como la carne, las aletas, la piel y los dientes, se venden en grandes cantidades.

Víctimas indeseadas

A menudo los tiburones quedan atrapados en las redes de arrastre o los anzuelos de palangre que se echan al mar para pescar otros peces, como atún o pez espada. Los tiburones mueren, pero los pescadores no los quieren. Esto se conoce como «captura accesoria».

Pesca deportiva

En algunas partes del mundo es muy popular la pesca de peces grandes. Algunos pescadores liberan a los peces después de pescarlos y fotografiarse con ellos, pero otros los matan para lucirlos como trofeo.

Los aficionados a la pesca deportiva intentan pescar tiburones con barcas como esta.

Sopa de aleta de tiburón

Esta sopa espesa es muy popular en Extremo Oriente. Se cree que tiene grandes propiedades medicinales. Algunos pescadores capturan tiburones, les cortan las aletas y los devuelven al agua. Millones de ejemplares mueren como consecuencia de ello.

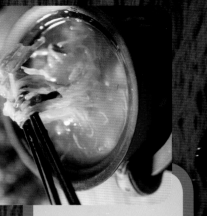

PROTECCIÓN DE LOS TIBURONES

Aunque el cambio climático, los efectos de la contaminación y el impacto de la pesca suponen una amenaza para los tiburones, mucha gente trata de proteger y preservar la población de estos animales en todo el mundo.

Santuarios de tiburones

Algunos países han prohibido la pesca comercial en aguas nacionales (la parte del mar que gestionan) para proteger los tiburones. En los archipiélagos de Palau, en el Pacífico occidental, y las Maldivas, en el Índico, se sigue esta política.

Actitud responsable

Los turistas que deseen ver tiburones y nadar con ellos deberían asegurarse que las empresas de submarinismo les brindan un trato digno.

Palau, un país formado por unas 250 islas del Pacífico, ha creado una zona protegida para tiburones.

¿Cómo podemos ayudar?

Podemos contribuir a que los tiburones sobrevivan en el entorno natural no comprando productos de estos animales; de esta forma no se potenciará su pesca. También podemos presionar a los políticos para que cambien las leyes que regulan la pesca comercial. Hay gente que intenta cambiar la ley para proteger mejor a los tiburones.

Más información

La investigación científica, los centros de interpretación de vida marina, los programas de televisión, los artículos de revistas, las películas y los libros ayudan a comprender que los tiburones son animales extraordinarios.

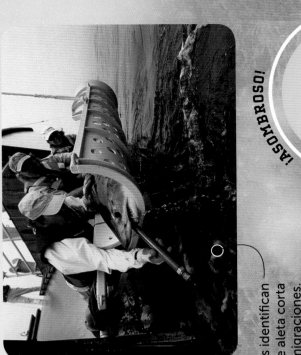

Los científicos identifican un tiburón mako de aleta corta para rastrear sus migraciones.

¡ASOMBROSO!

Un tiburón mako de aleta corta identificado por científicos en Nueva Zelanda y rastreado por satélite viajó más de 13 290 km (8260 millas) en siete meses.

Los acuarios son un lugar excelente para conocer los tiburones y observarlos de cerca.

Aerodinámico
Dotado de una forma que se desplaza fácilmente por el aire o por un líquido, como por ejemplo un torpedo.

Aleta dorsal
Aleta alta que se sostiene en posición vertical en el lomo del tiburón.

Aletas pectorales
Aletas situadas a los lados del cuerpo del tiburón.

Banco
Grupo de peces, a menudo de la misma especie, que nadan juntos para protegerse.

Barbillas
Antenas parecidas a unos bigotes que se hallan cerca de las fosas nasales y la boca de algunos tiburones. Sirven para saborear y notar sensaciones.

Branquia
Parte del cuerpo de los peces y otros animales para respirar bajo el agua.

Branquiespinas
Estructuras parecidas a un colador que mantienen los materiales sólidos alejados de las branquias.

Carnívoro
Animal que se come a otros animales.

Cartílago
Material resistente, ligero y elástico del que está hecho el esqueleto del tiburón.

Camuflaje
Coloración o forma corporal especial que se confunde con el entorno para que el animal pase desapercibido y evitar así el ataque de sus predadores.

Contaminación
Acto de hacer que algo, como el aire o el agua, se ensucie descargando sustancias nocivas en él.

Contracoloración
Forma de camuflaje que presentan muchos tiburones y otros peces por la que el lomo es oscuro y el vientre, claro.

Copépodo
Crustáceo diminuto parecido a una gamba que vive en el agua.

Crustáceo
Animal invertebrado que cuenta con un caparazón exterior (un exoesqueleto) y patas articuladas, como la langosta, el cangrejo y la gamba.

Estructura
La manera en que algo se construye o se monta.

Fitoplancton
Plantas diminutas que flotan libremente en las corrientes oceánicas.

Fotosíntesis
Proceso por el que las plantas utilizan la luz del sol y la clorofila verde de sus hojas para fabricar azúcares que proporcionan energía a la planta.

Hábitat
Nombre que recibe un lugar donde vive un animal o una planta.

Invertebrado
Animal que no tiene columna vertebral.

Laguna
Área de agua salada separada del mar por un banco de guijarros, arena o coral.

Larva
Fase de crecimiento de un animal como un pez o un calamar.

Línea lateral
Hilera de órganos sensitivos de los flancos de un pez con los que detectan movimientos y vibraciones en el agua que los rodea.

Mamífero
Animal de sangre caliente. Las hembras de los mamíferos dan a luz a las crías y las alimentan con su propia leche.

Marino
Relacionado con el mar.

Migración
Viaje regular realizado por un animal, a veces recorriendo grandes distancias.

Molusco
Animal con el cuerpo blando, normalmente protegido por un caparazón externo.

Nocturno
Organismo activo durante la noche en lugar del día.

Nutriente
Sustancia que se necesita para crecer y vivir saludablemente.

Organismo
Ser humano, como un animal, una planta, un hongo o una bacteria.

Plancton
Plantas y animales diminutos que flotan cerca de la superficie de estanques, lagos y mares. Son la base de la cadena trófica marina.

Población
Cantidad de individuos que viven en una zona determinada.

Polar
Relacionado con las regiones que rodean el Polo Norte y el Polo Sur.

Predador
Animal que caza y se alimenta de otros animales.

Presa
Animal que otros animales cazan.

Pupila
Parte central del ojo que deja entrar la luz.

Sistema respiratorio
Partes del cuerpo que permiten respirar al organismo.

Sensor
Parte de un organismo que responde a un determinado estímulo, como la luz, el sonido o el calor.

Solitario
Planta o animal que vive solo.

Sónar
Método para localizar la posición de objetos o presas utilizando ondas de sonido que viajan a través del agua.

Subtropical
Correspondiente a las zonas de la Tierra próximas a la región tropical, con un clima más templado.

Tropical
Correspondiente a una parte de la Tierra próxima al ecuador. El clima de las zonas tropicales es caluroso y húmedo durante buena parte del año.

Vertebrado
Animal que tiene columna vertebral.

Vejiga natatoria
Órgano lleno de gas del interior de los peces que evita que se hundan en el agua.

Yema
Bolsa de proteínas del huevo que nutre el embrión.

Zooplancton
Animales diminutos que flotan libremente en las corrientes marinas.

ÍNDICE ANALÍTICO